Ce livre appartient à

YASMIN AGUINI

de la part de Maman
pour sa petite puce. yasmin.
Bisous.

© 1999 Mango Jeunesse pour la présente édition
Loi n° 49-956 du 16 juillet 1949 sur les publications destinées à la jeunesse
Dépôt légal : octobre 1999
ISBN : 2 7404 0915-X
Participation au texte : Miwou Woungly-Massaga
Version abrégée des contes de Perrault

Les plus beaux contes de Perrault

La Belle au bois dormant

Cendrillon

Le Chat botté

MANGO *JEUNESSE*

La Belle au bois dormant

La Belle au bois dormant

Illustrations
Lynn Bywaters

IL était une fois un roi et une reine qui étaient si fâchés de n'avoir point d'enfants, si fâchés qu'on ne saurait dire. Tout fut mis en œuvre, et rien n'y faisait.

Enfin, pourtant, la reine eut une fille.
On fit un beau baptême ; on donna pour
marraines à la petite princesse toutes les fées
qu'on put trouver dans le pays (il s'en trouva
sept), afin que, chacune d'elles lui faisant un
don, la princesse eût toutes les perfections
inimaginables.

Après les cérémonies du baptême,
toute la compagnie revint au palais du roi,
où il y avait un grand festin pour les fées.
On mit devant chacune d'elles un couvert
magnifique, avec un étui d'or massif
où il y avait une cuillère, une fourchette
et un couteau d'or fin garnis de diamants
et de rubis.

Mais, alors que chacun prenait place
à table, on vit entrer une vieille fée, qu'on
n'avait point invitée, parce qu'il y avait plus

de cinquante ans qu'elle n'était sortie
d'une tour, et qu'on la croyait morte ou
enchantée. Le roi lui fit donner un couvert,
mais il n'y eut pas moyen de lui donner
un étui d'or massif, comme aux autres,
parce que l'on n'en avait fait faire que sept,
pour les sept fées. La vieille crut qu'on
la méprisait, et grommela quelques menaces
entre ses dents.

Une des jeunes fées, qui se trouva
auprès d'elle, l'entendit et, jugeant qu'elle
pourrait donner quelque fâcheux don
à la petite princesse, alla dès qu'on fut sorti
de table se cacher derrière la tapisserie,
afin de parler la dernière et de pouvoir
réparer le mal que la vieille aurait fait.

Les fées commencèrent à faire
leurs dons à la princesse. La plus jeune lui
donna pour don qu'elle serait la plus belle
personne du monde ; celle d'après,
qu'elle aurait de l'esprit comme un ange ;
la troisième, qu'elle aurait une grâce
admirable à tout ce qu'elle ferait ;
la quatrième, qu'elle danserait parfaitement
bien ; la cinquième, qu'elle chanterait
comme un rossignol ; et la sixième,
qu'elle jouerait toutes sortes d'instruments
à la perfection.

Le tour de la vieille fée étant venu, elle dit, en branlant la tête encore plus de dépit que de vieillesse, que la princesse se percerait la main d'un fuseau et qu'elle en mourrait. Ce terrible don fit frémir toute la compagnie.

La jeune fée sortit alors de derrière la tapisserie et dit tout haut ces paroles :

« Rassurez-vous, roi et reine, votre fille n'en mourra point. Il est vrai que je n'ai pas assez de puissance pour défaire entièrement ce que mon ancienne a fait : la princesse se percera la main d'un fuseau ; mais, au lieu d'en mourir, elle tombera seulement dans un profond sommeil, qui durera cent ans, au bout desquels le fils d'un roi viendra la réveiller. »

Le roi, pour tâcher d'éviter le malheur annoncé par la vieille fée, fit aussitôt publier un édit par lequel il défendait à toute personne de filer au fuseau et d'avoir des fuseaux chez soi, sous peine de mort.

Au bout de quinze ou seize ans,
le roi et la reine étant allés à une
de leurs maisons de plaisance, il arriva
que la jeune princesse, courant un jour
dans le château, et montant de chambre
en chambre, alla jusqu'au haut d'un donjon,
où une bonne vieille était seule à filer
sa quenouille.

« Que faites-vous là, ma bonne dame?
dit la princesse.

— Je file, ma belle enfant, lui répondit
la vieille, qui ne la connaissait pas.

— Ah ! que cela est joli! reprit
la princesse. Comment faites-vous?
Donnez-moi que je voie si j'en ferais
bien autant. »

Elle n'eut pas plus tôt pris le fuseau
qu'elle s'en perça la main et tomba évanouie.

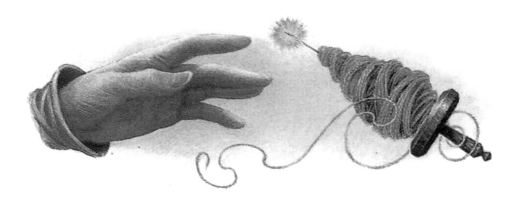

La bonne vieille, bien embarrassée, crie au secours. On vient de tous côtés ; on jette de l'eau au visage de la princesse, on lui frappe dans les mains, on lui frotte les tempes, mais rien ne la faisait revenir.

Alors, le roi, qui venait juste de rentrer et qui était monté au bruit, se souvint de la prédiction des fées. Il fit mettre la princesse dans un bel appartement du palais, sur un lit en broderie d'or et d'argent. On eût dit un ange, tant elle était belle ; car son évanouissement n'avait point ôté les couleurs vives de son teint ; elle avait seulement les yeux fermés, mais on l'entendait respirer doucement, ce qui faisait voir qu'elle n'était pas morte.

Le roi ordonna qu'on la laissât dormir en repos, jusqu'à ce que son heure de se réveiller fût venue. La bonne fée, qui lui avait sauvé la vie en la condamnant à dormir cent ans, pensa que, quand la princesse viendrait à se réveiller, elle serait bien embarrassée, toute seule dans ce vieux château : voici ce qu'elle fit.

Elle toucha de sa baguette tout ce qui était dans le château (hors le roi et la reine) : gouvernantes, filles d'honneur, femmes de chambre, gentilshommes, officiers, maîtres d'hôtel, cuisiniers, marmitons, galopins, gardes, suisses, pages, valets de pied.

Elle toucha aussi tous les chevaux qui étaient dans les écuries, avec les palefreniers, les gros chiens de garde de la basse-cour, et la petite Pouffe, petite chienne de la princesse, qui était auprès d'elle sur son lit. Dès qu'elle les eut touchés, ils s'endormirent tous pour ne se réveiller qu'en même temps que leur maîtresse, afin d'être tout prêts à la servir quand elle en aurait besoin. Les broches mêmes qui étaient au feu, toutes pleines de perdrix et de faisans, s'endormirent, et le feu aussi.

Alors, le roi et la reine, après avoir baisé leur chère enfant sans qu'elle s'éveillât, sortirent du château et firent publier l'interdiction à qui que ce soit d'en approcher. Mais cela n'était pas nécessaire car, en un quart d'heure, il poussa tout autour du parc une si grande quantité de grands arbres et de petits, de ronces et d'épines entrelacées les unes dans les autres que ni bête ni homme n'y aurait pu passer.

Au bout de cent ans, le fils du roi qui régnait alors, et qui était d'une autre famille que celle de la princesse endormie, étant allé à la chasse de ce côté-là, demanda ce que c'était que ces tours qu'il voyait au-dessus d'un grand bois fort épais. Les uns disaient que c'était un vieux château où il revenait des esprits ; les autres, que tous les sorciers de la contrée s'y retrouvaient.

La plus commune opinion était
qu'un ogre y demeurait. Le prince ne savait
que penser, lorsqu'un vieux paysan prit
la parole et lui dit :

« Mon prince, il y a plus de cinquante
ans, j'ai entendu dire à mon père qu'il y
avait dans ce château une princesse, la plus
belle du monde, qu'elle y devait dormir
cent ans, et qu'elle serait réveillée par le fils
d'un roi, à qui elle était réservée. »

Le jeune prince, à ce discours, se sentit
bouleversé et ne douta pas qu'il mettrait fin
à une si belle aventure. Poussé par l'amour
et par la gloire, il résolut de voir sur-le-
champ ce qu'il en était.

À peine s'avança-t-il vers le bois que
tous ces grands arbres, ces ronces et ces épines
s'écartèrent d'eux-mêmes pour le laisser passer.

Il marcha vers le château qu'il voyait au bout d'une grande avenue, et, ce qui le surprit un peu, il vit que personne n'avait pu le suivre, parce que les arbres s'étaient resserrés dès qu'il était passé.

Le prince continua cependant son chemin. Il entra dans une grande avant-cour, où tout ce qu'il vit d'abord était capable de le glacer de crainte. Il régnait un silence affreux et ce n'étaient que corps étendus d'hommes et d'animaux qui paraissaient morts. Le prince vit pourtant bien qu'ils n'étaient qu'endormis.

Il passe une grande cour pavée de
marbre ; il monte l'escalier ; il entre dans
la salle des gardes, qui étaient rangés en
haie, la carabine sur l'épaules et ronflant de
leur mieux. Il traverse plusieurs chambres,
pleines de gentilshommes et de dames,
dormant tous, les uns debout, les autres assis.
Il entre dans une chambre toute dorée,
et il voit sur un lit, dont les rideaux étaient

ouverts de tous côtés, le plus beau spectacle
qu'il eût jamais vu : une princesse qui
paraissait avoir quinze ou seize ans et dont
l'éclat resplendissant avait quelque chose
de lumineux et de divin.

Il s'approcha en tremblant et en
l'admirant, et se mit à genoux auprès d'elle.
Alors, comme la fin de l'enchantement était
venue, la princesse s'éveilla et le regarda
avec des yeux plus tendres qu'une première
vue ne semblait le permettre.

« Est-ce vous, mon prince ? lui dit-elle.
Vous vous êtes bien fait attendre. »

Le prince, charmé de ces paroles,
et plus encore de la manière dont elles
étaient dites, ne savait comment lui
témoigner sa joie et sa reconnaissance ;
il l'assura qu'il l'aimait plus que lui-même.
Il bafouilla et s'emmêla dans ses propos,
ce qui n'en plut que davantage
à la princesse. Il était plus embarrassé
qu'elle, et l'on ne doit pas s'en étonner :
elle avait eu le temps de songer à ce qu'elle
aurait à lui dire, car il y a apparence
(l'histoire n'en dit pourtant rien) que
la bonne fée, pendant un si long
sommeil, lui avait procuré le plaisir
des songes agréables.

Enfin, il y avait quatre heures qu'ils se parlaient et ils ne s'étaient pas encore dit la moitié des choses qu'ils avaient à se dire. Cependant, tout le palais s'était réveillé avec la princesse et, comme ils n'étaient pas tous amoureux, chacun songeait à faire sa charge. Ainsi préparèrent-ils sur-le-champ un magnifique mariage.

La noce fut la plus somptueuse que le royaume eût jamais connue, et tous les seigneurs alentours en parlèrent encore fort longtemps comme du plus enchanteur des souvenirs.

Cendrillon

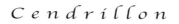

Cendrillon

Illustrations
Lynn Bywaters

IL était une fois un gentilhomme
qui épousa, en secondes noces,
une femme, la plus hautaine et
la plus fière qu'on eût jamais vue. Elle avait
deux filles de son caractère, et qui lui
ressemblaient en toutes choses.

Le mari avait, de son côté, une jeune
fille, mais d'une douceur et d'une bonté
sans exemple. Elle tenait cela de sa mère,
qui était la meilleure personne du monde.

Les noces ne furent pas plus tôt faites
que la belle-mère fit éclater sa mauvaise
humeur et sa jalousie : elle ne pouvait
supporter les bonnes qualités de cette jeune
enfant, qui rendaient ses filles encore plus
haïssables.

Elle la chargea de toutes les corvées
de la maison : c'était elle qui nettoyait
la vaisselle, qui frottait la chambre
de madame et celles de
mesdemoiselles ses filles ;
elle couchait tout en haut
de la maison, dans un
grenier, sur une paillasse,

pendant que ses sœurs étaient dans des chambres avec du parquet, où elles avaient des lits à la mode, et des miroirs où elles se voyaient depuis les pieds jusqu'à la tête.

La pauvre fille souffrait tout avec patience et n'osait se plaindre à son père.

Lorsqu'elle avait fait ses corvées, elle allait s'asseoir dans les cendres, au coin de la cheminée ; c'est pour cela qu'on l'appelait Cendrillon. Cependant, Cendrillon, avec ses vilains habits, était cent fois plus belle que ses sœurs, quoique vêtues magnifiquement.

Il arriva que le fils du roi donna
un bal et qu'il en pria toutes les personnes
de qualité. Nos deux demoiselles en furent
aussi priées, car elles faisaient grande figure
dans le pays. Les voilà bien aises et bien
occupées à choisir les habits et les coiffures
qui leur iraient le mieux. Nouvelle peine
pour Cendrillon, car c'était elle qui repassait
le linge de ses sœurs. On ne parlait que
de la manière dont on s'habillerait.

« Moi, dit l'aînée, je mettrai mon habit de velours rouge et ma garniture d'Angleterre.

— Moi, dit la cadette, je n'aurai que ma jupe ordinaire, mais, en récompense, je mettrai mon manteau à fleurs d'or et ma barrière de diamants, qui n'est pas des plus indifférentes. »

Elles appelèrent Cendrillon pour lui demander son avis, car elle avait bon goût. Cendrillon les conseilla le mieux du monde, et s'offrit même à les coiffer, ce qu'elles voulurent bien. En les coiffant, elles lui dirent :

« Cendrillon, serais-tu bien aise d'aller au bal ?

— Hélas, mesdemoiselles, vous vous moquez de moi : ce n'est pas là ce qu'il me faut.

— Tu as raison, on rirait bien si on voyait une souillon aller au bal. »

Une autre que Cendrillon les aurait coiffées de travers, mais elle était bonne, et elle les coiffa parfaitement bien. Elles furent près de deux jours sans manger, tant elles étaient transportées de joie. On rompit plus de douze lacets à force de les serrer pour leur rendre la taille plus menue, et elles étaient toujours devant le miroir.

Enfin, l'heureux jour arriva ; on partit, et Cendrillon les suivit des yeux le plus longtemps qu'elle put. Lorsqu'elle ne les vit plus, elle se mit à pleurer. Sa marraine, qui la vit tout en pleurs, lui demanda ce qu'elle avait.

« Je voudrais bien... je voudrais bien... » Elle pleurait si fort qu'elle ne put achever.

Sa marraine, qui était fée, lui dit :
« Tu voudrais bien aller au bal, n'est-ce pas ?

— Hélas, oui! dit Cendrillon en soupirant.

— Eh bien! seras-tu bonne fille? dit sa marraine. Je t'y ferai aller. »

Elle la mena dans sa chambre et lui dit :
« Va dans le jardin et apporte-moi une citrouille. »

Cendrillon alla aussitôt cueillir
la plus belle qu'elle put trouver, et la porta
à sa marraine, ne pouvant deviner comment
cette citrouille pourrait la faire aller au bal.
Sa marraine la creusa et, n'ayant laissé
que l'écorce, la frappa de sa baguette, et
la citrouille fut aussitôt changée en un beau
carrosse tout doré.

Ensuite, elle alla regarder dans
la souricière, où elle trouva six souris
toutes en vie.

Elle dit à Cendrillon de lever un peu
la trappe de la souricière, et à chaque souris
qui sortait, elle lui donnait un coup
de sa baguette, et la souris était aussitôt
changée en un beau cheval, ce qui fit
un bel attelage de six chevaux d'un beau
gris pommelé.

Puis, Cendrillon lui apporta la ratière,
où il y avait trois gros rats. La fée en prit

un, et, l'ayant touché, il fut changé en un gros cocher, qui avait une des plus belles moustaches qu'on ait jamais vues. Ensuite, elle lui dit :

« Va dans le jardin, tu y trouveras six lézards derrière l'arrosoir : apporte-les moi. »

Elle ne les eut pas plus tôt apportés, que sa marraine les changea en six laquais, qui montèrent aussitôt derrière le carrosse, avec leurs habits colorés.

« Eh bien! voilà de quoi aller au bal :
n'es-tu pas bien aise?

— Oui, mais est-ce que j'irai comme
cela, avec mes vilains habits? »

Sa marraine ne fit que la toucher
avec sa baguette, et en même temps ses
habits furent changés en des habits d'or
et d'argent, tout ornés de pierreries.
Elle lui donna ensuite une paire de
pantoufles de verre, les plus jolies
du monde.

Quand elle fut ainsi parée,

elle monta en carrosse ; mais sa marraine
lui recommanda, sur toutes choses,
de ne pas passer minuit, l'avertissant que,
si elle demeurait au bal un moment
davantage, son carrosse redeviendrait
citrouille, ses chevaux souris, ses laquais
lézards et que ses beaux habits
reprendraient leur première forme.

Cendrillon promit à sa marraine qu'elle
ne manquerait pas de sortir du bal avant
minuit et partit.

Le fils du roi, qu'on alla avertir
qu'il venait d'arriver une grande princesse
qu'on ne connaissait point, courut
la recevoir. Il lui donna la main à
la descente du carrosse et la mena
dans la salle où était la compagnie.

Il se fit alors un grand silence ;
on cessa de danser, et les violons ne
jouèrent plus, tant on était attentif à
contempler les grandes beautés de
cette inconnue.

On n'entendait qu'un bruit confus :
« Ah ! qu'elle est belle ! »

Le roi même, tout vieux qu'il était,
dit tout bas à la reine qu'il y avait longtemps
qu'il n'avait vu une si belle et si aimable
personne.

Toutes les dames
étaient attentives
à considérer
sa coiffure et
ses habits pour
en avoir, dès
le lendemain, de semblables, pourvu qu'il
se trouvât des étoffes assez belles et
des ouvriers assez habiles.

Le fils du roi la mit à la place la plus
honorable, et, ensuite, la prit pour la mener
danser.

Elle dansa avec tant de grâce qu'on
l'admira encore davantage. Le fils du roi fut
toujours auprès d'elle, et ne cessa de lui
conter des douceurs.

La jeune demoiselle ne s'ennuyait
point et oublia ce que sa marraine lui avait
recommandé, de sorte qu'elle entendit
sonner le premier coup de minuit lorsqu'elle
croyait qu'il était encore onze heures :
elle se leva, et s'enfuit aussi légèrement que
l'aurait fait une biche. Le prince la suivit,
mais il ne put l'attraper. Elle laissa tomber
une de ses pantoufles de verre, que le prince
ramassa bien soigneusement.

Cendrillon arriva chez elle, bien essoufflée, sans carrosse, sans laquais, et avec ses vilains habits, rien ne lui étant resté de sa magnificence qu'une de ses petites pantoufles, pareille à celle qu'elle avait laissée tomber.

On demanda aux gardes de la porte du palais s'ils n'avaient point vu sortir une princesse. Ils dirent qu'ils n'avaient vu sortir personne qu'une jeune fille fort mal vêtue, et qui avait plus l'air d'une paysanne que d'une demoiselle.

Quand les deux sœurs revinrent du bal, Cendrillon leur demanda si elles s'étaient bien diverties ; elles lui dirent que oui, puis elles lui racontèrent qu'une spendide dame était venue, mais qu'elle s'était enfuie lorsque minuit avait sonné, et si promptement qu'elle avait laissé tomber une de ses petites pantoufles de verre, la plus jolie du monde, que le fils du roi l'avait ramassée et qu'il n'avait fait que la regarder pendant tout le reste du bal, et qu'assurément il était fort amoureux de la belle personne à qui appartenait la petite pantoufle.

Elles dirent vrai, car, peu de jours après, le fils du roi fit publier, à son de trompe, qu'il épouserait celle dont le pied pourrait se glisser dans la pantoufle.

On commença à l'essayer aux princesses, ensuite aux duchesses et à toute la cour, mais inutilement. On l'apporta chez les deux sœurs, qui firent tout leur possible pour faire entrer leur pied dans la pantoufle, mais elles ne purent en venir à bout.

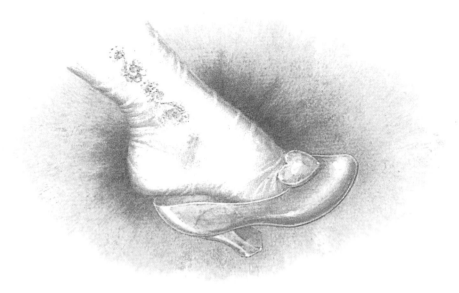

Cendrillon, qui les regardait, et qui reconnut sa pantoufle, dit :
« Puis-je essayer à mon tour ? »

Ses sœurs se mirent à rire et à se moquer d'elle. Le gentilhomme qui faisait l'essai de la pantoufle, ayant regardé attentivement Cendrillon, et la trouvant fort belle, dit que cela était très juste, et qu'il avait ordre de l'essayer à toutes les filles. Il fit asseoir Cendrillon et,

approchant la pantoufle de son petit pied,
il vit qu'il y entrait sans peine, et qu'elle
semblait faite sur mesure.

L'étonnement des deux sœurs fut
grand, mais plus grand encore quand
Cendrillon tira de sa poche l'autre petite
pantoufle, qu'elle mit à son pied.

Là-dessus arriva la marraine, qui, ayant
donné un coup de baguette sur les habits
de Cendrillon, les fit devenir encore plus
magnifiques que tous les autres.

Alors, ses deux sœurs la reconnurent
pour la belle personne qu'elles avaient vue
au bal. Elles se jetèrent à ses pieds pour
lui demander pardon de tous les mauvais
traitements qu'elles lui avaient fait souffrir.

Cendrillon les releva et leur dit, en les embrassant, qu'elle leur pardonnait de bon cœur, et qu'elle les priait de l'aimer bien toujours.

On la mena chez le jeune prince,
parée comme elle était.

Il la trouva encore plus belle que jamais
et, peu de jours après, il l'épousa.

Cendrillon, qui était aussi bonne que
belle, fit loger ses deux sœurs au palais,
et les maria, dès le jour même,
à deux grands seigneurs de la cour.

Cendrillon

Le Chat botté

Le Chat botté

Illustrations
Debbie Dienemann

Un meunier ne laissa pour tous biens, à trois enfants qu'il avait, que son moulin, son âne et son chat.

Les partages furent bientôt faits ; ni le notaire, ni le procureur n'y furent point appelés. Ils auraient eu bientôt mangé tout le pauvre patrimoine.

L'aîné eut le moulin, le second eut l'âne et le plus jeune n'eut que le chat. Ce dernier ne pouvait se consoler d'avoir un si pauvre lot :

« Mes frères, disait-il, pourront gagner leur vie honnêtement en se mettant ensemble. Pour moi, lorsque j'aurai mangé mon chat et que je me serai fait un manchon de sa peau, il faudra que je meure de faim. »

Le Chat, qui entendait ce discours, mais qui n'en fit pas semblant, lui dit d'un air posé et sérieux :

« Ne vous affligez point, mon maître, vous n'avez qu'à me donner un sac et à me faire faire une paire de bottes pour aller dans les broussailles et vous verrez que vous n'êtes pas si mal partagé que vous croyez. »

Quoique le maître du Chat fût d'abord surpris, il lui avait vu faire tant de tours de souplesse pour prendre des rats et des souris, comme quand il se pendait par les pieds ou qu'il se cachait dans la farine pour faire le mort, qu'il ne désespéra pas d'en être secouru dans la misère.

Lorsque le Chat eut ce qu'il avait demandé, il se botta bravement, et, mettant son sac à son cou, il en prit les cordons avec ses deux pattes de devant, et s'en alla dans une garenne où il y avait grand nombre de lapins.

Il mit du son et des carottes dans son sac et, s'étendant comme s'il eût été mort, attendit que quelque jeune lapin, peu instruit encore des ruses de ce monde, vînt se fourrer dans son sac pour manger ce qu'il y avait mis.

À peine fut-il couché qu'il eut contentement : trois jeunes lapins entrèrent dans son sac, et le Chat botté les prit en tirant aussitôt les cordons.

Tout glorieux de sa prise, il s'en alla chez le roi et demanda à lui parler. On le fit monter à l'appartement de Sa Majesté, où, étant entré, il fit une grande révérence au roi, et lui dit :

« Voilà, sire, des lapins de garenne que monsieur le marquis de Carabas (c'était le nom qu'il donna à son maître) m'a chargé de vous présenter de sa part.

— Dis à ton maître, répondit le roi, que je le remercie et qu'il me fait plaisir. »

Une autre fois, il alla se cacher dans un champ, tenant toujours son sac ouvert, et, lorsque deux perdrix y furent entrées, il tira les cordons et les prit toutes deux. Il alla ensuite les présenter au roi, comme il avait fait des lapins de garenne.

Le roi reçut encore avec plaisir les deux perdrix, et lui fit donner à boire.

Le Chat continua ainsi, pendant deux ou trois mois, à porter de temps en temps au roi du gibier de la chasse de son maître.

Un jour qu'il sut que le roi devait aller à la promenade sur le bord de la rivière avec sa fille, la plus belle princesse du monde, il dit à son maître :

« Si vous voulez suivre mon conseil, votre fortune est faite : vous n'avez qu'à vous baigner dans la rivière, à l'endroit que je vous montrerai et, ensuite, à me laisser faire. »

Le fils du meunier fit ce que son chat lui conseillait, sans savoir à quoi cela serait bon.

Au moment où il se baignait, le roi vint à passer, et le Chat se mit à crier de toutes ses forces :

« Au secours ! au secours ! voilà monsieur le marquis de Carabas qui se noie ! »

À ce cri, le roi mit la tête
à la portière et, reconnaissant
le Chat qui lui avait apporté
tant de fois du gibier,
il ordonna à ses gardes
qu'on allât vite au secours
de monsieur
le marquis de Carabas.

Pendant qu'on
retirait le pauvre
marquis de la rivière,
le Chat s'approcha
du carrosse et dit
au roi que, dans
le temps que
son maître se baignait,
il était venu des voleurs
qui avaient emporté
ses habits, quoiqu'il eût

crié « Au voleur ! » de toutes ses forces ;
le Chat botté les avait en fait bien cachés
sous une grosse pierre.

Le roi ordonna aussitôt aux officiers
de sa garde-robe d'aller quérir un de
ses plus beaux habits pour monsieur
le marquis de Carabas.

Le roi remercia le jeune homme pour
ses nombreux présents et, comme les beaux
habits qu'on venait de lui donner relevaient

sa bonne mine (car il était beau et bien fait de sa personne), la fille du roi le trouva fort à son gré, et le marquis de Carabas ne lui eut pas jeté deux ou trois regards, fort respectueux et un peu tendres, qu'elle en devint amoureuse à la folie.

Le roi voulut qu'il montât dans son carrosse et qu'il fût de la promenade.

Le Chat, ravi de voir que son dessein commençait à réussir, prit les devants et, ayant rencontré des paysans qui fauchaient un pré, il leur dit :

« Bonnes gens qui fauchez, si vous ne dites au roi que le pré que vous fauchez appartient à monsieur le marquis de Carabas, vous serez tous hachés menu comme chair à pâté. »

Le roi ne manqua pas de demander aux
faucheurs à qui était ce pré qu'ils fauchaient :
« C'est à monsieur le marquis de
Carabas », dirent-ils tous ensemble,
car la menace du chat leur avait fait peur.

«Vous avez là un bel héritage, dit le roi
au marquis de Carabas.
—Vous voyez, sire, répondit le marquis,
c'est un pré qui ne manque point de
rapporter abondamment toutes les années. »

Le Chat botté, qui allait toujours devant, rencontra des moissonneurs et leur dit :

« Bonnes gens qui moissonnez, si vous ne dites que tous ces blés appartiennent à monsieur le marquis de Carabas, vous serez tous hachés menu comme chair à pâté. »

Le roi, qui passa un moment après, voulut savoir à qui appartenaient tous les blés qu'il voyait.

« C'est à monsieur le marquis de Carabas », répondirent les moissonneurs, et le roi s'en réjouit encore avec le marquis.

Le Chat, qui allait devant le carrosse, disait toujours la même chose à tous ceux qu'il rencontrait, et le roi était étonné des grands biens de monsieur le marquis de Carabas.

Le Chat botté arriva enfin dans un beau château, dont le maître était un ogre, le plus riche qu'on ait jamais vu, car toutes les terres par où le roi avait passé étaient de la dépendance de ce château.

Le Chat, qui eut soin de s'informer
de qui était cet ogre et de ce qu'il savait
faire, demanda à lui parler, disant qu'il
n'avait pas voulu passer si près de son
château sans avoir l'honneur de lui
faire la révérence.

L'ogre le reçut
aussi civilement que
le peut un ogre et
le fit reposer.

« On m'a assuré, dit le Chat, que vous aviez le don de vous changer en toutes sortes d'animaux, que vous pouviez, par exemple, vous transformer en lion, en éléphant.

— Cela est vrai, répondit l'ogre brusquement, et, pour vous le montrer, vous m'allez voir devenir lion. »

Le Chat fut si effrayé de voir un lion devant lui qu'il gagna aussitôt les gouttières, non sans peine et sans péril, à cause de ses bottes, qui ne valaient rien pour marcher sur les tuiles.

Quelque temps après, le Chat, ayant vu que l'ogre avait quitté sa première forme, descendit et avoua qu'il avait eu bien peur.

« On m'a assuré encore, dit le Chat, mais je ne saurais le croire, que vous aviez aussi le pouvoir de prendre la forme des plus petits animaux, par exemple de vous changer en un rat, en une souris ; je vous avoue que je tiens cela tout à fait impossible.

— Impossible ? reprit l'ogre. Vous allez voir. »

Et en même temps il se changea
en une souris, qui se mit à courir sur
le plancher. Le Chat ne l'eut pas plus tôt
aperçue, qu'il se jeta dessus et la mangea.

À ce moment, le roi, qui vit en passant
le beau château de l'ogre, voulut entrer
dedans. Le Chat, qui entendit le bruit du
carrosse, qui passait sur le pont-levis, courut
au-devant et dit au roi :

« Votre Majesté soit la bienvenue dans ce château de monsieur le marquis de Carabas !

— Comment, monsieur le marquis, s'écria le roi, ce château est encore à vous ! Il ne se peut rien de plus beau que cette cour et que tous ces bâtiments qui l'environnent. Voyons l'intérieur, s'il vous plaît. »

Le marquis donna la main à la jeune princesse et, suivant le roi, qui montait le premier, ils entrèrent dans une grande salle, où ils trouvèrent une magnifique collation que l'ogre avait fait préparer pour ses amis, qui devaient venir le voir ce jour-là, mais qui n'avaient pas osé entrer, sachant que le roi y était.

Le roi, charmé des bonnes qualités
de monsieur le marquis de Carabas,
de même que sa fille, qui en était folle,
et voyant les grands biens qu'il possédait, lui
dit, après avoir bu cinq ou six coups :

« Il ne tiendra qu'à vous, monsieur le marquis, que vous ne soyez mon gendre. »

Le marquis, faisant de grandes révérences, accepta l'honneur que lui faisait le roi, et, dès le même jour, il épousa la princesse. Le Chat botté devint le grand seigneur, et ne courut plus après les souris que pour se divertir.